TOUrne·PieRRe

Mon île blessée

de *Jacques Pasquet* • *illustré par Marion Arbona*

Préface de Steven Guilbeault

Merci à Hélène David,
de l'association Argos,
de m'avoir fait découvrir
Shishmaref

J.P.

Mon île blessée

Direction éditoriale : Angèle Delaunois
Direction artistique : Pierre Houde
Édition électronique : Hélène Meunier
Révision linguistique : Marie-Ève Guimont

Dépôt légal : 4e trimestre 2009
Bibliothèque nationale du Québec
Bibliothèque nationale du Canada

Catalogage avant publication de Bibliothèque et Archives nationales du Québec
et Bibliothèque et Archives Canada

Pasquet, Jacques

    Mon île blessée

    (Tourne-pierre ; 18)
    Pour enfants de 6 ans et plus.

    ISBN 978-2-923234-54-0

    I. Arbona, Marion. II. Titre. III. Collection: Tourne-pierre ; 18.

PS8581.A768M66 2009jC843'.54   C2009-941816-9
PS9581.A768M66 2009

Nous remercions le Gouvernement du Québec
Programme de crédit d'impôt pour l'édition de livres – Gestion SODEC

Nous remercions le Conseil des Arts du Canada de l'aide
accordée à notre programme de publication.

Éditions de l'Isatis
4829, avenue Victoria
Montréal QC H3W 2M9
www.editionsdelisatis.com
imprimé au Canada
Distributeur au Canada : Diffusion du livre Mirabel

Fiche d'activités pédagogiques téléchargeable
gratuitement depuis le site www.editionsdelisatis.com

ASSOCIATION NATIONALE DES ÉDITEURS DE LIVRES

Sources Mixtes
Groupe de produits issu de forêts bien
gérées et d'autres sources contrôlées.
www.fsc.org Cert no. SGS-COC-003342
© 1996 Forest Stewardship Council

Vers une justice climatique ?

Certaines et certains d'entre-vous me connaissez peut-être comme militant écologiste, comme celui qui a escaladé la Tour du CN en 2001 pour faire pression sur le Canada afin qu'il ratifie le Protocole de Kyoto ou encore comme celui qui sillonne la planète depuis plus de 15 ans pour participer aux rencontres des Nations Unies sur les changements climatiques. Mais je dois vous avouer que c'est le père de famille en moi qui est le plus concerné par le problème des changements climatiques.

Il y a quelque temps de cela, une amie de ma fille a demandé à sa mère : « Maman, quand je serai grande, est-ce que nous devrons trouver une autre planète pour vivre? » Cette question d'une jeune fille de dix ans est un exemple frappant de l'intérêt et de l'inquiétude de nos jeunes face aux problématiques environnementales et particulièrement de celles des changements climatiques et des impacts qui en découlent.

Alors qu'il y a de cela quelques années la question des réfugiés climatiques semblait n'être qu'un impact théorique et futuriste des changements climatiques, elle est maintenant extrêmement d'actualité et semble être un enjeu imminent. Selon les Nations Unies, il y aura, d'ici 2010, plus de 50 millions de ces réfugiés, soit plus d'une fois et demie la population du Canada. Il s'agit maintenant d'une réalité à laquelle il faut faire face.

Que faire devant ce constat? Il faut bien sûr multiplier les gestes et les politiques publiques pour lutter contre les changements climatiques mais nous devons également sensibiliser et éduquer nos enfants à cette réalité pas toujours très jolie.

Je crois également que l'on doit éveiller en eux cette quête de justice pour que les générations qui nous succéderont ne permettent plus que ce genre d'injustice se répète.

Ce livre de Jacques et Marion représente un pas de plus vers cette quête de justice.

Steven Guilbeault
GROUPE ÉQUITERRE

Je m'appelle Imarvaluk. Dans ma langue, l'inuktitut*,
cela veut dire **le chant des vagues**. C'est mon grand-père
qui m'a donné ce nom lorsque j'étais bébé. Chaque fois
que je pleurais, cela lui faisait penser à la mer.
J'aime mon nom mais je n'aime plus la mer.
Je me méfie d'elle depuis qu'un esprit mauvais l'a envoûtée*.

La mer est devenue comme un monstre
qui dévore lentement notre île :
l'île de Sarichef. C'est une toute petite île.
Sur la carte du monde accrochée au mur de la classe,
on dirait un minuscule point de rien du tout.
Une tache d'encre près du cercle polaire,
entre la Russie* et l'Alaska*.

Grand-père me rappelle souvent que c'est la terre
de notre peuple, les Inupiak*. Nos ancêtres
s'y sont installés il y a très longtemps.

Depuis, nous y vivons comme une grande famille
dans le seul village de l'île : Shishmaref.
On n'habite plus dans des iglous mais dans
de petites maisons de bois modernes.
Comme autrefois, les hommes chassent
le phoque barbu, le morse, l'orignal
et le caribou.

Chaque été, on quitte l'île pour aller s'installer sur le continent. Mon père et mon grand-père y ont construit un campement dans la toundra*, sur le bord de la grande rivière Serpentine.

C'est là qu'ils chassent le caribou. Pendant ce temps-là, ma mère et moi, on pêche ou on cueille des baies.

Presque tout le monde
a une motoneige maintenant.
Grand-père préfère
son traîneau à chiens.

Avant, il m'emmenait souvent,
même si j'avais peur des chiens,
surtout de celui qui menait l'attelage.
Mais, aujourd'hui, c'est le monstre invisible
dissimulé dans les vagues qui m'effraie le plus.

À cause de lui, on ne peut plus aller
sur la banquise*.

J'ai peur qu'il vienne ronger le village pendant la nuit
et que notre maison plonge dans la mer.
Parfois, je ne réussis pas à dormir.
Le moindre craquement m'effraie.

Je n'arrive pas à oublier
la colère de la mer,
il y a quelques années.

Des vagues si hautes
et si fortes
que le village entier
a failli être englouti.

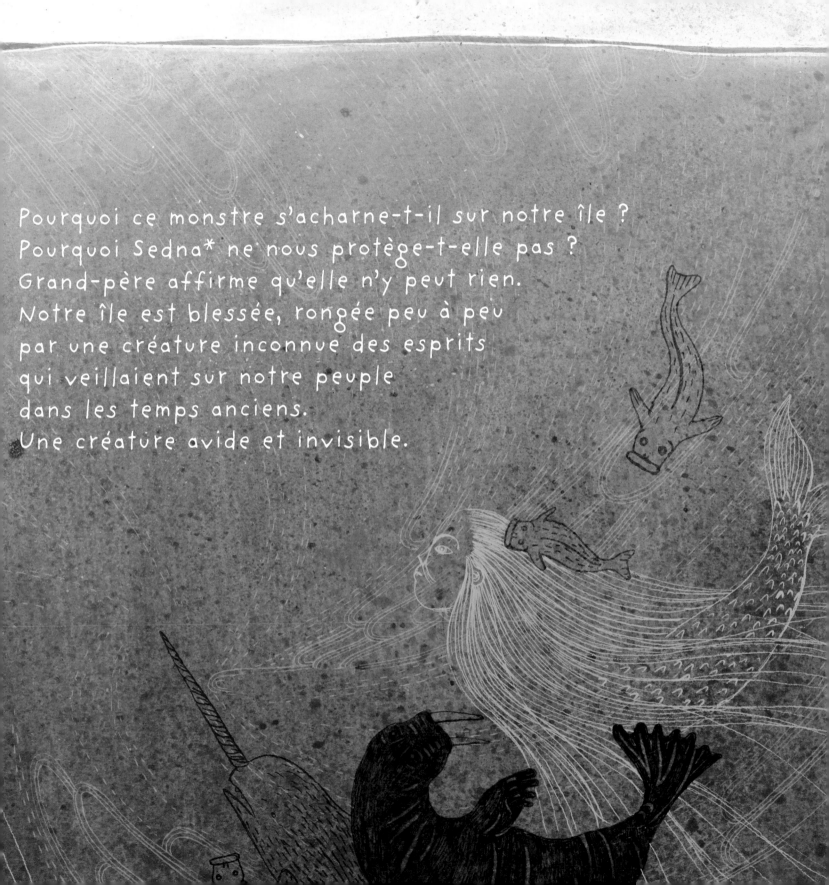

Pourquoi ce monstre s'acharne-t-il sur notre île ?
Pourquoi Sedna* ne nous protège-t-elle pas ?
Grand-père affirme qu'elle n'y peut rien.
Notre île est blessée, rongée peu à peu
par une créature inconnue des esprits
qui veillaient sur notre peuple
dans les temps anciens.
Une créature avide et invisible.

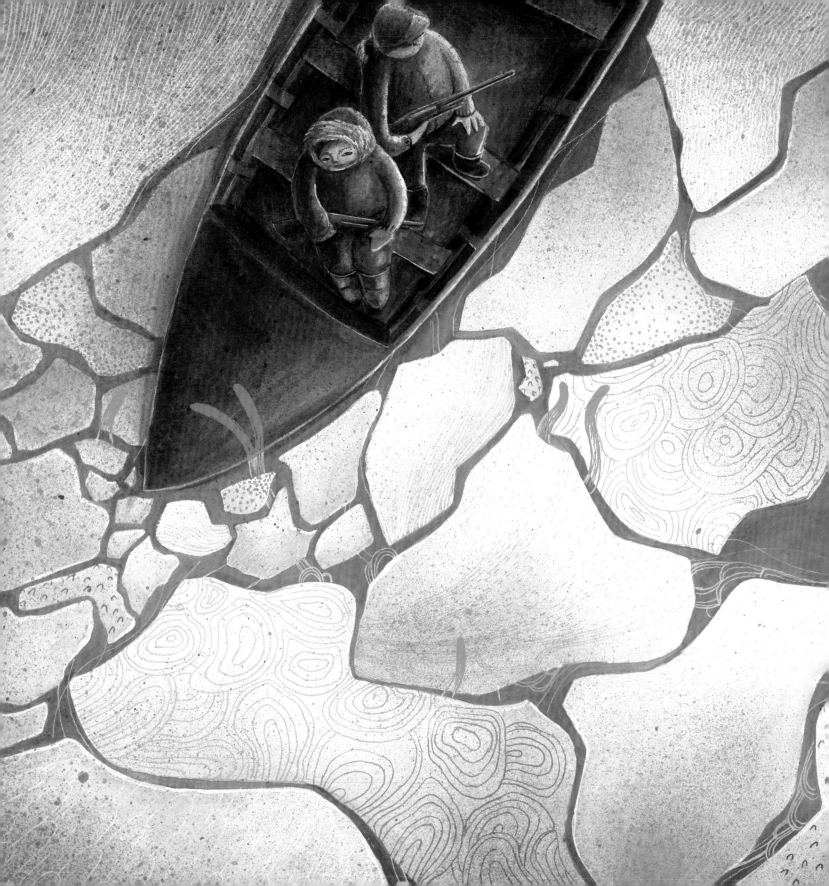

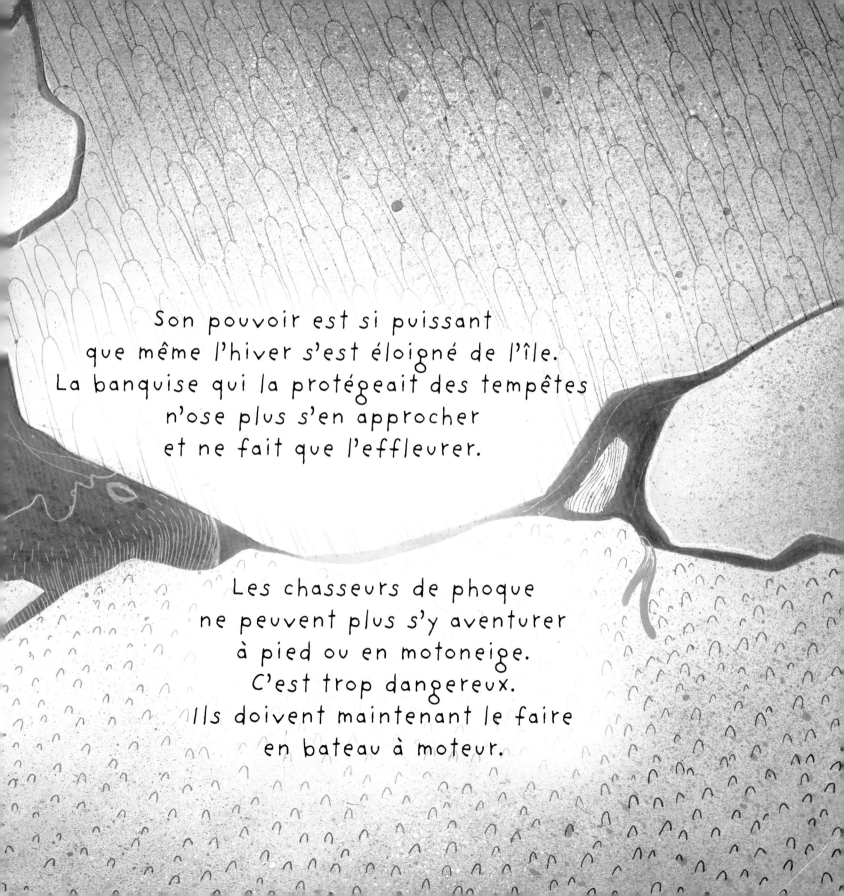

Son pouvoir est si puissant
que même l'hiver s'est éloigné de l'île.
La banquise qui la protégeait des tempêtes
n'ose plus s'en approcher
et ne fait que l'effleurer.

Les chasseurs de phoque
ne peuvent plus s'y aventurer
à pied ou en motoneige.
C'est trop dangereux.
Ils doivent maintenant le faire
en bateau à moteur.

De grosses pierres et d'énormes morceaux de métal
ont été transportés sur le rivage pour former une digue.
Mais rien ne résiste à cette créature.
Elle puise ses forces auprès d'esprits
inconnus de notre peuple. Des gens qui la surveillent
sont venus à Shishmaref. Ils nous ont expliqué
que d'autres endroits dans le monde
sont victimes de la créature.

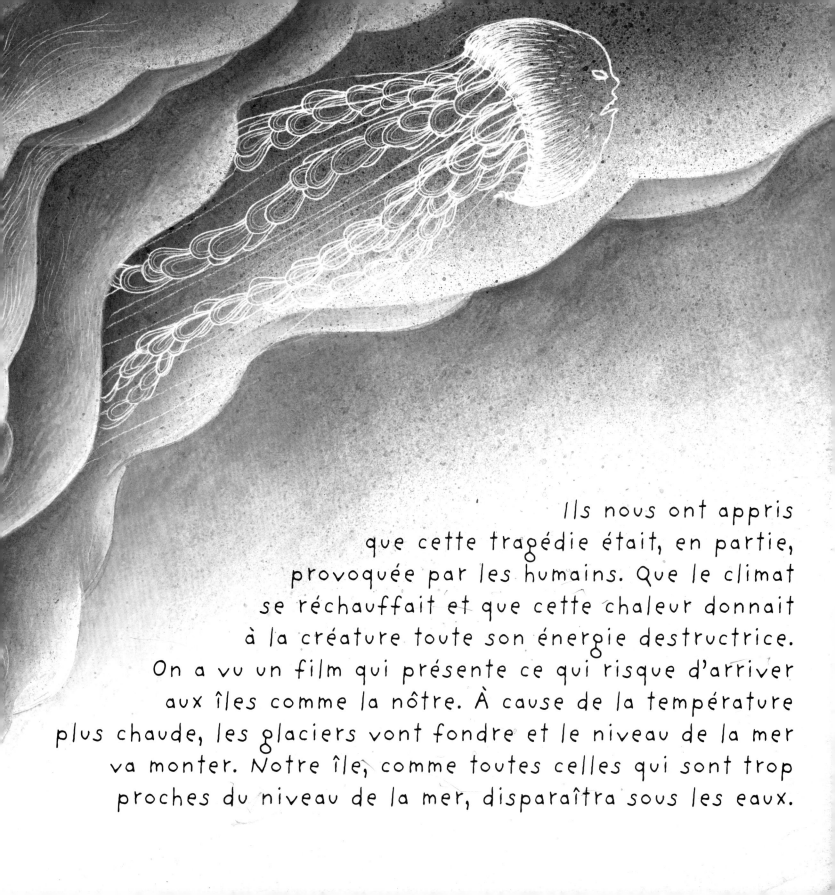

Ils nous ont appris
que cette tragédie était, en partie,
provoquée par les humains. Que le climat
se réchauffait et que cette chaleur donnait
à la créature toute son énergie destructrice.
On a vu un film qui présente ce qui risque d'arriver
aux îles comme la nôtre. À cause de la température
plus chaude, les glaciers vont fondre et le niveau de la mer
va monter. Notre île, comme toutes celles qui sont trop
proches du niveau de la mer, disparaîtra sous les eaux.

Depuis, je fais souvent le même cauchemar.
J'imagine que notre île est un immense château de sable.
Je suis à l'intérieur et il s'effrite tout doucement,
m'entraînant dans les vagues. Je vois des yeux énormes
et j'entends de grands éclats de rire : ceux de la créature.
J'essaye alors de lui échapper en m'envolant
grâce à mon fétiche* en plumes d'oiseaux.
Mais elle me retient par les pieds.

Dans quelques jours,
notre maison sera déplacée
au centre de l'île,
là où se trouvent déjà
celles qui étaient
trop près du rivage.

Une grue les dépose sur d'énormes skis
et des tracteurs les tirent
jusqu'à ce qu'elles soient à l'abri
des méfaits de la créature.
Mais, tôt ou tard, il faudra
quitter notre île.

Où irons-nous ?
Tout le monde se pose la question.
Grand-père dit qu'il faudra trouver une terre
sur laquelle il sera possible
de continuer à vivre comme avant.
D'autres parlent de s'exiler* à Nome*,
une grande ville du continent, plus au sud.
Ils pensent que la vie y sera plus facile
et plus confortable. Qu'il y aura enfin
l'eau courante dans les maisons.
Mon père aimerait qu'on nous aide à construire
un nouveau village sur le continent.
Cela coûterait trop cher,
affirment ceux qui pourraient en décider.

Mes parents hésitent encore.
Grand-père a choisi.

Il ne veut pas aller à Nome.
Il a peur que nous perdions nos traditions dans
une ville qui ignore tout de nos coutumes.
Comme plusieurs, il préfère s'installer
dans notre campement d'été,
dans la toundra.
Ce qui le rend le plus triste,
c'est que cette créature
va faire disparaître
notre île et une partie
de la mémoire
de notre peuple.

Alaska :
État des États-Unis, situé à l'extrême nord-ouest de l'Amérique du Nord.

Banquise :
Épaisse couche de glace qui se forme sur la mer dans les régions polaires.

Envoûter :
Exercer sur une personne une domination irrésistible.

Fétiche :
Animal ou objet chargé d'un pouvoir magique.

Inuktitut :
Langue parlée par le peuple Inuit.

Inupiak :
Inuit vivant dans le nord de l'Alaska.

Nome :
Ville de 5000 habitants, située sur le continent à 200 kilomètres au sud de Shishmaref.

Russie :
Le plus vaste pays du monde, qui s'étend de l'Europe jusqu'à l'Asie.

Sedna :
Déesse de la mer dans la mythologie Inuit.

S'exiler :
Quitter son pays, sa terre natale.

Toundra :
Grande plaine sans arbres, semée de mousses et de lichens et dont le sol reste gelé toute l'année (pergélisol).

Pour en savoir plus sur le réchauffement de la planète :
www.collectifargos.com
www.oxfam.qc.ca